Geschafft

Geschafft

D1287936

Idee/Text: Michael Kernbach
Cartoons/Illustration: Miguel Fernandez

16. Auflage 2020

© 2010 Lappan Verlag in der Carlsen Verlag GmbH, Oldenburg/Hamburg
ISBN 978-3-8303-4210-6

Text: Michael Kernbach
Illustrationen: Miguel Fernandez
Herstellung und Gestaltung: Ulrike Boekhoff

Druck und Bindung: Livonia Print
Printed in Latvia

Triff uns auf facebook.com/lappanverlag
und auf instagram.com/lappanverlag
www.lappan.de

Du hast es

Geschafft

**Was Frau mit 50
nicht mehr tun muss!**

Verzichten/nein sagen

Frauen haben es ihr Leben lang nicht leicht. Bonbons vom fremden Onkel? Nein, danke! Noch ein Stück Kuchen? Bloß nicht, vielen Dank! Vielleicht einen Schluck Wein, ein Bier, eine Linie Kokain, eine Affäre mit Brad Pitt und/oder Angelina Jolie? Immer nur nein, nein, nein! Die Figur, der gute Ruf, die Haut, die Frisur, alles ständig wichtiger als das eigene Wohlbefinden.

Mit 50 ist die perfekte Zeit zum Umdenken. Sagen Sie JA! Und landen Sie mit verlebten Altrockern ruhig mal bis morgens in einer der Kaschemmen, in die Sie sich als gutes Mädchen nie getraut haben. Lassen Sie sich ein auf die mondäne Welt der Pferderennbahnen oder kandidieren Sie für die Tierschutzpartei. Was immer man Ihnen nun anbietet, nehmen Sie es mit. Rocken Sie einen Poetry-Slam, gehen Sie zum Nacktwandern durch den Harz, packen Sie einen 100er auf „Zahl" im Kasino und ertränken Sie den Schmerz des Verlusts mit Schampus. Es gibt viel zu tun, machen Sie sich ran!

Liebeskummer schieben

Wer die 50 erreicht hat, für den sind auch weniger schöne Gefühle wie alte Freunde, die sich ungerufen und unverlangt einstellen. Zahnschmerzen, Kopfweh und Liebeskummer gehören zu diesen Bluesmakern, wobei es leider nur gegen die ersteren mittlerweile medizinische Hilfe gibt.

Beim Liebeskummer entfaltet hingegen mit 50 die Macht der erlebten Jahre ihre ganze Kraft. Der Herzschmerz von heute hat doch auch bei Ihnen sicher etliche Vorfahren! Was, so schlimm war es noch nie? Na, dann betreiben Sie mal ein wenig Gefühls-Ahnenforschung. Wer auch immer Ihnen aktuell einen akuten Liebesschmerz verursacht, betrachten Sie ihn in der langen Reihe seiner längst überwundenen Vorgänger mit Gelassenheit im Wissen: Wenn Sie diesen Göttertypen nicht hätten – dann hätten Sie einen anderen!

Sparen

Das Sparen war in der Menschheitsgeschichte ein wichtiger Teil des Fortbestandes der menschlichen Rasse. Beim wahren und Weitergeben, Gaben der Altvorderen doch jeglicher Respekt. Wenn Sie verhindern wollen, dass Ihre sauer angesparten Groschen in die Kassen eines Media-Markts wandern, sollten Sie Ihr gelerntes Sparverhalten komplett überdenken. Tun Sie sich und Ihrer Umwelt etwas Gutes und verblasen Sie Ihre Kohle mit Fernreisen. Das ist immer noch ökologisch sinnvoller, als mit dem Ersparten den Elektromüllberg zu sponsern, den Ihre Nachgeborenen ohne Sinn und Verstand anhäufen. Und mehr Spaß dran haben Sie auch!

Klar könnten Sie weiterhin sparen, aber: Wem wollen Sie es weitergeben? Und warum? Einer Generation, für die ein 12 Monate altes Handy ins Museum gehört, fehlt für die so trugen Eltern über den Tod hinaus zum Wohlergehen ihrer braven Kinder bei. Das ist heute anders.

Sich 10 Jahre jünger machen

So irrsinnig tobt der Jugendwahn in unseren Straßen, dass es mittlerweile schon Grundschülerinnen geben soll, die sich für sechs ausgeben, obwohl sie schon acht sind. Das haben Sie mit 50 natürlich nicht mehr nötig, im Gegenteil!

Eine Frau, die Komplimente liebt (und welche Frau täte das nicht?), ist mit dem Schritt in die 2. Jahrhunderthälfte ihres Lebens gut beraten, sich nicht 10 Jahre jünger, sondern 20 Jahre älter zu machen. Das ist ein Schachzug, der Ihnen eine neue Lebensqualität eröffnen kann. Statt Kuren, Diäten und Pilates zu durchleiden, um irgendwie wie Anfang 40 auszusehen, werden Ihnen als offiziell Siebzigjährige Werbeverträge und Fernsehshows angeboten. Und das alles nur, weil Sie einfach so bleiben wie Sie sind. Und lecker essen dürfen Sie dabei auch noch. Sie haben ja, sozusagen, plötzlich 20 Jahre Vorsprung vor sich selbst!

Auf Kegeltour fahren

Wir wollen uns bei aller Freude über das Erreichen des nächsten Lebensjahrzehnts nicht gänzlich allen Wahrheiten verschließen, auch wenn diese nicht immer angenehm sein mögen. So ist der schnoddrige Begriff vom „Frischfleisch" nun eigentlich nicht mehr uneingeschränkt auf Sie anwendbar. Ehrlich gesagt, sprechen junge Rüpel ja bereits beim Besuch von Ü-30-Partys respektlos von „Rudis Resterampe".

Wer noch drastischeren Etikettierungen entgehen möchte, meidet darum zukünftig besser die Teilnahme an Kegeltouren. War es in den 40ern gesellschaftlich und sozial manchmal unumgänglich, auf Jägermeister und DJ Bobo mit den Kegelschwestern im „Sauerland Stern" Stößchen zu machen, bietet der Eintritt in die 50er die Chance, diesen wilden Orgien der Vergänglichkeit endgültig zu entkommen. Versuchen Sie es in Zukunft lieber mit Bildungsfernreisen und entdecken Sie, wie viel schönere Dinge es auf Erden gibt als sturztrunkene Schnauzbartträger mit Halbglatze, die einem die Hand mit der Bemerkung in die Bluse stecken: „Ich wollte den zwei da vorne nur mal ‚Hallo' sagen".

Bikinis tragen

Der Bikini als Gradmesser für die Attraktivität des weiblichen Körpers hat in seiner unseligen Geschichte viel Unheil angerichtet.

Und eigentlich liefert diese Minimalverhüllung in vielen Fällen ja nichts anderes als die Erklärung dafür, warum die bohnenstangenartige Trägerin auch in raffiniert geschnittener Kleidung weder über einen Po noch über Brüste verfügt. Der Bikini hat in der Freizeittasche einer gestandenen Frau ab 50 deshalb definitiv nichts mehr verloren. Als Ausgleich für die seit Ihrer eigenen Teenie-Zeit erlittenen Hungerqualen sollten Sie den Zweiteiler spätestens jetzt gegen Tortellini- oder Sahne-Blini eintauschen. Denn endlich wird für Sie ausgerechnet die Werbebotschaft einer der führenden Kaloriensparkassen Wirklichkeit: „Ich will so bleiben, wie ich bin" – ab 50 gilt: „Du darfst!"

Sport treiben

Der 50. Geburtstag ist für viele Frauen auch der Tag einer Silberhochzeit: und zwar der mit dem Heimtrainer! Joggen, Radfahren, Jazzdance, Aerobic, Pilates, Kickbox-Workouts undundund ... alleine mit dem von Ihnen hier vergossenen Schweiß ließe sich wahrscheinlich der Sahel begrünen, und Herstellerfamilien dubioser Energydrinks flüstern beim Tischgebet dankbar Ihren Namen.

Wollen Sie sich diese Plackerei weiterhin antun? Wenn schon Sport, dann könnten Sie, man mag es kaum glauben, an dieser Stelle etwas von den Männern lernen. Fußball ist für 99% aller Kerle eine Form von körperlicher Ertüchtigung, die sie maximal bis zum 20. Lebensjahr aktiv ausüben, bevor Sie in die ewige dritte Halbzeit entschwinden. Lernen Sie daraus!

Trendfrisuren tragen

Frau sein heißt immer auch modisch sein. Wobei Mode gerade in den letzten 20 Jahren ein stark relativierter Begriff geworden ist. Einiges aus der hochbeschleunigten Welt der Globalisierung fällt da auch eher unter die Rubrik „Geschmacksexperiment" und ist eher wieder verschwunden, als der Trendtempel Ihre Kohle von der Karte saugen konnte.

Besonders im Bereich der Frisuren ist in den letzten Jahren ein bedenklicher Trend zur temporären Selbstentstellung entstanden, dem Sie sich nicht weiter unreflektiert aussetzen sollten. Lassen Sie es nicht zu, dass verwirrte Scherenpraktikanten Ihnen für Wochen die Menschenwürde rauben. Wählen Sie künftig zeitlose Kurzhaarschnitte oder lassen Sie sich von einem Coiffeur einen Merkel schneiden. Das ist zwar auch nicht immer schön, aber wenigstens eine Frisur aus einer Topposition.

Shoppen

Der Bundespräsident Horst Köhler unterschied sich zwischen „shoppen" und in einer Rede vor Bankmanagern dereinst zwischen Bankiers und Bankern, um auf die Fehlentwicklung des Berufsstandes im Kreditwesen hinzuweisen.

Ein ähnlicher Unterschied lässt sich zwischen „shoppen" und „Einkaufs-Bummel" machen. Der Raffgier und Wahllosigkeit des Shoppens – oder in seiner Extremform „Powershoppen" – kann, darf, nein muss die erfahrene Frau ab 50 den eleganten Einkaufsweg des Bummelns entgegensetzen. Lassen Sie sich zukünftig mit Würde durch die glitzernden Gestade der bunten Einkaufswelten treiben, wobei Sie den Modeplunder gar nicht weiter beachten. Das viele Geld, das Sie durch die so unterlassene Neukleidersammlung sparen, können Sie durch die so sinnvoller in echte Lebensqualität investieren.

Sex aus Gefälligkeit

Einen Mann zu etwas zu bringen, das er eigentlich nicht möchte (was so ziemlich alles ist, was nicht mit Bier, Fernsehen oder Fußball zu tun hat), ist eine hohe Kunst, die eine Frau Ihres Alters mit Sicherheit in Vollendung beherrscht.

Niedere Griffe in die Trickkiste wie etwa der Anfängertrick „Sex aus Gefälligkeit" verbieten sich dabei von selbst. Sex ist schließlich auch ein hochwertiges Genussmittel, das man nicht gegen profane Dinge wie Diamantendiademe oder einen aufgeräumten Keller herschenken sollte. Drehen Sie darum an der Preisschraube, schließlich handelt es sich um den Gegenwert einer perfekten Luxusbehandlung, die so für niemand anderen erhältlich ist. Und Exklusivität hat bekanntlich ihren Preis.

Ein gutes Vorbild sein

Haben Sie von Ihrem Hausarzt auch schon einmal gehört, dass Sie übertriebene Anstrengungen vermeiden sollten?

Das gilt in Zukunft nicht nur für Powerwalken oder zu exzessives Pilatestraining, sondern auch für den mentalen Bereich. Schicken Sie „Mrs. Perfect" endlich in den Ruhestand. Was hat es Ihnen schon gebracht, Ihr vorbildlicher Haushalt, Ihre vorbildlich erzogenen Kinder, Ihre vorbildliche Ehe? Wohl doch in erster Linie enorme Anstrengungen. Entlassen Sie sich selbst aus der Vorbildhaft und nutzen Sie die hierdurch frei werdende Zeit für ein Jurastudium oder den Bau einer Kathedrale. So viel mehr Zeit werden Sie nämlich plötzlich haben.

Botox spritzen

Willkommen in der Blüte des Lebens! Willkommen des Lebensabschnitt im 6. Lebensjahrzehnt!

Willkommen in einer Welt, deren Aufgabe es zu sein hat, für IHR Wohlbefinden zu sorgen! Kinder, Enkel, Ehemänner, Hund – alle diese Pflegefälle gehen nun in Betreuungsteilzeit, weil eine Frau mit 50 einen neuen wichtigsten Menschen in ihrem Leben hat: sich selbst.

Was in diesem Lebensabschnitt zu einer selbstredend gepflegten und attraktiven Nebenerscheinung werden darf, ist das eigene Aussehen. Für Sie als lebenserfahrene und reife Frau erübrigen sich dabei nun optische Spielereien wie etwa das Botox-Spritzen. Wer Sie glauben machen will, sich selbst und Ihrer Umwelt mit dieser bakteriellen Vergiftung Ihrer Gesichtszüge einen Gefallen zu tun, dem sollten Sie in Ihrer Frauenzeitschrift die Wachsvisagen der gespritzten Damen der Glamourwelt zeigen. Und auch, womit diese Herrschaften sonst in die Weltgeschichte einzugehen glauben. Das hilft den Sinnspruch zu verstehen: Hinter botoxglatter Stirn wohnt nur selten auch Gehirn!

Im Bus stehen

Die Geister, die er rief, trifft der vollendete Mensch mit 50 mittags im ÖPNV. Leider sind es im seltensten Falle erfreuliche Begegnungen.

Schwammige, leer starrende Lebewesen mit Kopfhörern lungern auf den Sitzen des Stadtbusses herum und machen auch beim Anblick eines sichtlich reiferen Menschen keinerlei Anstalten, sich von der Sitzbank herunterzufläzen. Auch wenn wir dank antiautoritärer Umgangsformen nicht völlig unschuldig an solchen respektlosen Verhalten unserer Jugendlichen sind, können wir immer noch die späte Schlacht um Anstand und einen Sitzplatz in der Stadtbahn des Lebens aufnehmen. Vertreiben Sie darum ruhig unter lautstark verkündeten Missbilligungsäußerungen das pubertäre Lümmelpack von den Bänken Ihres öffentlichen Transportverkehrs.

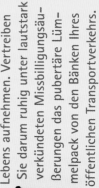

In Weiß heiraten

„Drum prüfe, wer sich ewig bindet, ob sich nicht was Bessres findet." Ein Ratschlag, den diejenigen, die ihn sehr genau beherzigt haben, mit 50 mit Fug und Recht als erfüllt betrachten dürfen. Weswegen man seine reife Entscheidung einer Eheschließung aber eben nicht in dem Wahnsinn einer weißen Hochzeit gipfeln lassen sollte.

„Der glücklichste Tag ihres Lebens", ein „unvergesslicher Augenblick"? Nix als Stress, nimmersatte Gäste und, als Krönung des Schauspiels, gedichtete Reden des Schwiegervaters. Sparen Sie Zeit, Geld und Nerven und machen Sie alles richtig. „Hochzeit" und „Weiß" bitte nur im Sachzusammenhang mit den weißen Stränden der Dominikanischen Republik, zum Beispiel. Oder den weißen Bergen von St. Moritz. Dort können Sie unbeschwert in Weiß heiraten, und das ganz ohne Brautentführung!

An sich arbeiten

Was, um alles in der Welt, in die eine oder andere Geschlechtsgenossin gefahren sein mag, die - wohl im Zustand der Verwirrung - begonnen hat, „an sich zu arbeiten"? Eine Aufgabe, die doch nur von Männern, und dann auch nur auf weibliche Weisung hin, sinnvoll ausgeübt werden kann.

Vielleicht ist es ja das Bedürfnis nach einem Erfolgserlebnis, das manche Frau in dieses unnötige Selbstexperiment treibt. Aber woran sollten Sie denn bitteschön in Bezug auf sich noch arbeiten? Hat Michelangelo etwa an der Sixtinischen Kapelle nachgearbeitet? Oder Rembrandt an seinem Selbstporträt? Überlassen Sie die vergebene Liebesmühe weniger vollkommenen Geschöpfen, als Sie es mit 50 nun sind, und versuchen Sie lieber mit dem auszukommen, was Sie haben. Rund um die Uhr mit einem perfekten Menschen zusammmen zu sein, kann nämlich ganz schön anstrengend sein. Auch wenn Sie es selber sind!

Rücksicht nehmen

Wenn Frauen von Männern überhaupt irgendetwas lernen können, dann ist es das Jammern. Gerade mit zunehmendem Alter klingt eine Gruppe Kerle schnell wie die Liveübertragung aus einem Feldlazarett. Das Beste daran: Die Waschlappen kommen damit auch noch überall durch! Sitzplatz im Bus, Vordrängeln beim Arzt und an der Kasse – die Leidensmiene macht es möglich.

Der Eintritt in die 50er ist ein idealer Zeitpunkt, gerade in Sachen Rücksicht das Payback-Verfahren in Gang zu bringen. Dabei reicht einer Dame bereits ein leicht verschmerzter Gesichtsausdruck oder das beinahe unsichtbare Nachziehen eines Fußes, um einen 1-a-All-Inclusive-Service ihrer Mitmenschen abzurufen. Nutzen Sie das ruhig hier und da mal aus und verkneifen Sie es sich ab sofort, auf stöhnende Männer Rücksicht zu nehmen. Das hat Ihnen ja bisher in keiner Lebenslage wirklich was gebracht, auch nicht in der Horizontalen.

Anti-Aging-Werbung glauben

Mit dem Glauben ist es ja so eine Sache. Prinzipiell kann man schließlich nur an Dinge glauben, die man nicht mit Sicherheit weiß. Der Glaube an Anti-Aging-Mittel ist da von einer besonderen Qualität. Eine Creme, die das Altern aufhält, hosianna!

Dagegen ist die wundersame Fischvermehrung von Meister Jesus ein mieser kleiner Taschenspielertrick.

Solchen windigen Versprechungen sollten Sie keinen Glauben und vor allem kein Geld mehr schenken. Statt schnell enttäuschte Hoffnung in Anti-Aging zu investieren, sollten Sie lieber einen großen Bogen um alles machen, was Anti-Aging erst verursacht. Meiden Sie darum das Programm des ZDF. Vorsicht auch vor allen Produkten, die Sie als Best-, Golden- oder Silver-Ager ködern wollen, und Finger weg vom Seniorenteller im Bistro. Dann lieber ein Kidsmenü bei McDonald's. Da ist auch nur die Hälfte drin. Aber es ist die Basisnahrung unserer Kinder. So geht Anti-Aging!

Das Rauchen aufgeben

Sie rauchen noch? Dann lassen Sie sich nicht den Spaß daran verderben! Frauen sind doch dank Diätenwahn und Modediktat sowieso ihr Leben lang auf Verzicht konditioniert, und jetzt, wo das Dasein endlich viele Freuden verspricht, sollen Sie das einzige Laster, das Sie sich über 30 Jahre hinweg gegönnt haben, wegen seiner Gesundheitsschädlichkeit aufgeben?

Wer raucht stirbt, wer nicht nicht raucht, stirbt auch. Bloß gesünder. Wenn Sie beim Rauchen schon etwas aufgeben wollen, dann die Rücksicht auf Nichtraucher. Rauchen Sie im Schlafzimmer, im Auto, im Büro. Und eröffnen Sie ein Raucherkino.

Es ist der sicherste Weg, mit 50 noch mal richtig reich zu werden. Probieren Sie es aus!

Feng Shui

Feng Shui, so steht es geschrieben, ist „die Lehre der Harmonisierung des Menschen mit seiner Umgebung, die durch eine besondere Gestaltung der Wohn- und Lebensräume erreicht werden soll".

Wahrscheinlich bedeutet Feng Shui auf deutsch nichts anderes als „Haus Frau", denn nichts anderes als die Harmonisierung von Menschen und Wohnung ist doch seit Ihrem Auszug bei Mutter Ihr Ziel gewesen. Als wahre Feng-Shui-Großmeisterin haben Sie sicher schon 200-mal Ihr Domizil umdekoriert und neu-en Lebensumständen mit mal mehr oder mal weniger Mitbewohnern eingerichtet. Wer so viel Erfahrung mit dem Ausgleich von Mensch und Lebensraum hat wie Sie, braucht doch keine daoistischen Kalender-blattweisheiten, um seine Bude top in den Griff zu kriegen. Wenn schon Feng Shui, dann vielleicht mal abends beim Chinesen, mit viel 84 und einer extra Portion Reis. Hot smekt!?

Gemeinsame Unternehmungen

Sehen Sie es endlich ein: Sie sind mit Ihrem Wunsch nach schönen, gemeinsamen Erlebnissen mit den Menschen, die Sie lieben, weitestgehend einer Fata Morgana hinterhergejagt. Das mag in der Hauptsache daran gelegen haben, dass die anderen im Gegensatz zu Ihnen nicht wussten, was eigentlich gut für Sie gewesen wäre. So hatte immer irgendjemand was zu motzen.

Befreien Sie sich aus dem Gefälligkeitswahn: Es wird ihm schon gefallen ... Nein! Es wird ihm NICHT gefallen, und er wird es nicht für sich behalten! Ersparen Sie sich doch verdorbene Abende durch falsche Weggefährten. Wenn Sie bei der Auswahl eine gewisse Routine entwickelt haben, können Sie das auch als Dienstleistung Ihren Freundinnen anbieten, als eine reife Form der Unternehmens- Beratung!

Jemand Neues kennenlernen

Es gehört leider zu den unbestreitbaren Nachteilen des Älterwerdens, dass das Kennenlernen von Neuem immer schwieriger wird. Besonders in Bezug auf Männer hat sich die Erkenntnis „kennste einen, kennste alle" bei den meisten Frauen schon mit Mitte 30 durchgesetzt. Jemand Neues kennenzulernen ist also mit 50 eigentlich unmöglich.

Die Suche nach einer Bekanntschaft ist dank der Reife der Jahre eine eher kategorisierte: Nicht jemand Neues, sondern welche Sorte Altbekanntes man treffen möchte, ist die eigentliche Frage. Künstler, Beamter, Softie, Macho, am Ende räumen sie alle ihre Sachen nicht weg und duschen zu selten. Wenn Sie tatsächlich Ihren Alltag mit neuen Bekanntschaften verändern wollen, müssen Sie bei sich selbst den Anfang machen. Lernen Sie zuerst einfach Ihre andere Seite kennen! Und dann gehen Sie mal mit Ihren verborgenen Stärken und Schwächen aus. Da werden aber einige schwer staunen. Und Sie werden dabei sicher sogar alte Freunde ganz neu kennenlernen.

In eine WG ziehen

Egal, wie Sie die bisherigen 50 Jahre verbracht haben, als Single oder in der Großsippe, lassen Sie sich nicht dazu hinreißen, jetzt, im Spätsommer Ihres Lebens, in eine Wohngemeinschaft einzuziehen.

Diese studentische Lebensform ist nicht nur nicht mehr altersgerecht, sondern sie steckt auch voller Tücken. Die Rentner-WG, von der wir ehrlicherweise reden, ist eine Erfindung unverheirateter Männer, die sich den Gang in eine Seniorenresidenz ersparen wollen. Wenn Sie dem Schicksal entgehen wollen, Ihre besten Jahre an Menschen zu vergeuden, die nach dem Tod der eigenen Mutter lediglich ein neues Wirtstier für ihre ungemachte Wäsche suchen, sollten Sie den Einzug in eine WG unbedingt vermeiden. Wenn Wohngemeinschaften, dann mit der Familie. Die hat an Ihnen sowieso noch einiges gutzumachen.

Auf Jüngere neidisch sein

Älter werden ist nix für Feiglinge, heißt es so schön. Das liegt vor allem daran, dass wir permanent dazu aufgefordert werden, unser jetziges Leben mit unserem früheren zu vergleichen und jenes dann wiederum irgendwie toller zu finden.

Da sitzt man heute mit geregelter Altersvorsorge im Eigenheim mit Auto und soll neidisch auf das total gestresste Püppchen von nebenan sein? Nur weil die JÜNGER ist? Das ist lächerlich. Haben Sie lieber Mitleid mit den Jungen und wünschen Sie ihnen von ganzem Herzen, dass sie bald grau und faltig werden. Das ist eine viel angemessenere und würdigere Haltung gegenüber der Jugend.

Scheiden lassen

Zugegeben, nie war wohl der Reiz einer Scheidung größer als jetzt, wo die Kinder aus dem Haus, die Hütte bezahlt und Ihr Mann offenbar mit dem Fernsehsessel verwachsen ist. Unterdrücken Sie trotzdem den Impuls, sich ausgerechnet jetzt zu trennen und ein neues Leben zu beginnen. Sie verzichten durch eine Scheidung auf ein Recht, das Ihnen mehr zusteht als jedes andere: die Wiedergutmachung!

Zeigen Sie Ihren Kindern, wie unglaublich taktlos und verletzend auch Sie sein können. Ein absolut fairer Preis für die von Ihnen erlittenen Qualen während der Pubertät Ihrer Kinder. Auf diesen Spaß wollen Sie verzichten? Nur um morgens alleine frühstücken zu können? So einfach dürfen Sie es denen nicht machen!

Buddhistin werden

Wissen Sie, was das Beste am Älterwerden ist? Man muss nicht mehr wirklich jeden Sch*** mitmachen, der in einer Frauenzeitung steht.

Ersparen Sie sich darum die Auseinandersetzung mit dem Buddhismus, auch wenn der gerade noch so angesagt ist. Der Buddhismus ist eine total komplizierte und langweilige Religion ohne, jetzt kommt's: Weihnachten, Ostern, Nikolaus, Adventszeit, Weihnachtsbaum, Taufen, Traumhochzeiten oder was im Leben sonst noch zu den besonderen Momenten gehören könnte. Welcher Religion Sie auch immer angehören, bleiben Sie ihr treu. Außer, Sie sind Buddhistin, da sollten Sie schon mal was Romantischeres ausprobieren, wie zum Beispiel den Katholizismus.

Sich nützlich machen

Frauen müssen sich einfach nützlich machen, auch wenn sie 50 Jahre alt sind. Selbst Hand anlegen geht einfach schneller und besser, als darauf zu warten, dass ein Mann die Arbeit sieht und dann auch noch macht. Wahrscheinlich würden die Menschen noch auf den Bäumen leben, wenn Frauen sich nicht ständig nützlich machen würden.

Dieser Kulturauftrag der Natur verändert sich bei der Frau ab 50 dahingehend, dass Sie sich administrativ, mit geschultem Blick und dem reichen Schatz an Erfahrung, für die Ausbildung der nachkommenden Generation nützlich machen. Zwar erkennen viele Töchter und Schwiegertöchter Ihre gutgemeinten Hinweise nicht immer gleich als wertvolle Hilfestellung, aber keine Sorge, nach 10–15 Jahren gibt sich das. Um gelegentliche soziale Spannungen in dieser Ausbildungszeit aufzufangen, empfiehlt es sich, gemeinsam bei einer Runde „Männer erziehen" Aggressionen abzubauen und eine Menge Spaß mit den verunsicherten Probanden zu haben.

Flirten

Sie flirten gerne? Machen Sie das nicht! Flirten ist doch vor allem eines: ein Zeichen der eigenen Unsicherheit! Nur wer nicht in sich selbst ruht, braucht die Bestätigung der eigenen Attraktivität von anderen.

50 Jahre Bestätigung sollten Ihnen doch nun eigentlich genug sein, oder? Geben Sie sich nicht mehr die öffentliche Blöße, von den Annäherungen eines Unbekannten abhängig zu sein. Zeigen Sie der Welt stolz die kalte Schulter und seien Sie von nun an eine Festung, die es zu erobern gilt. Das alleine wird die wahren Galane locken, denen der Tausch vielsagender Blicke und schmeichelnder Worte tausendmal gelungen und dementsprechend langweilig ist. Übertreiben Sie es aber nicht mit dem kühlen Gehabe, ruckzuck hat man den Ruf als Eisprinzessin weg, und so was kann sich schnell auch mal als kontraproduktiv erweisen.

Aufbrezeln

Frauen machen sich nun mal gerne schön, und das wird wohl auch auf immer so bleiben.

Jedoch hat gepflegte Kosmetik und geschmackvolle Kleidung nichts mit dem Kampfstyling zu tun, das unter dem Begriff „Aufbrezeln" unter vielen 20- bis 30-Jährigen seit Jahren als Technik im Infight um die meisten gierigen Blicke betrieben wird. Vermeiden Sie das „Aufbrezeln" und seine Werkzeuge wie den Push-up, den Stringtanga und die Hüfthose als eine degenerierte Form des Zurechtmachens. Zeigen Sie durch Ihren Auftritt Stil und Klasse statt blaugefrorener Flanken dank Bauchfrei-Top und genießen Sie den ruhigen Schlaf einer Frau ohne Nierenentzündung oder einen Sehnenabriss nach dem Sturz vom High Heel-Plateau.

Einen Salsakurs besuchen

Seit der „Buena Vista Social Club" Anfang des Jahrtausends über unser Land hereinbrach, üben sich zahllose brave Deutsche auf After-Work-Partys an den feurigen Tanzschritten zu den karibischen Klängen der Salsa-Musik.

Eigentlich ein schönes Hobby, wenn nicht zu jeder dieser Tanztees ein paar Kubaner auftauchen würden und uns bei unseren Übungen ziemlich hüftsteif aussehen lassen würden. Gerade Gelenkigkeit ist ja eine Tugend, die mit zum Zuwachs an Lebensweisheit leider reziprok nachlässt. Verzichten Sie darum zukünftig auf aktive Tanzteilnahme und machen Sie es sich im Kreise der lachenden und klatschenden Beobachter gemütlich. Wenn Ihnen ein Kubaner in Ihrem Alter schon noch etwas vormachen soll, dann höchstens, wie man einen guten Erdbeer-Daiquiri macht.

DSDS gucken

Castingshows sind im Prinzip ja eine prima Sache. Leute, die von sich glauben, ins Rampenlicht zu gehören, werden der Meute per TV zum Fraß vorgeworfen und lernen so die elementarste Regel des Showgeschäfts: Nichts ist so vergänglich wie der Ruhm von gestern. Dass Sie als fertige Persönlichkeit nicht mehr an solchen Spielshows wie DSDS teilnehmen, versteht sich ja fast von selbst.

Sogar das Anschauen dieser Sendungen scheint für Zuschauer Ihres Alters nicht geeignet.

Wozu soll sich ein geschmacklich komplett entwickelter Mensch wie Sie Gesangsanfänger antun, deren Qualität so brüchig ist, dass sogar ein Dieter Bohlen ungehindert auf sie eindreschen kann? Das ist als Vergnügen zweifelhaft. Genießen Sie Ihre Feierabende mit den Aufnahmen von Stimmen, die Sie ein Leben lang begleitet haben, oder besuchen Sie eines ihrer Konzerte. So können Sie in den Genuss eines Kulturgutes kommen, das bei DSDS nur ganz am Rande stattfindet, nämlich: Musik!

Auf die schlanke Linie achten

"Wenn nicht jetzt, wann dann?" heißt ein beliebter Schlager, und er wurde nicht, wie behauptet wird, für die deutsche Handballnationalmannschaft komponiert, sondern für Sie.

Und für alle anderen Frauen, die mit 50 endlich ihr Leben in die Hand nehmen und nicht mehr auf die Waage legen wollen. Sie haben der schlanken Linie ein Leben lang Tribut gezollt. Jetzt ist Kleidergröße 38 endgültig abbezahlt. Das heißt ja nicht, dass Sie gleich ein rasantes Speckaufrüsten veranstalten müssen, aber das ständige Essen etwa von Grünzeug können Sie getrost eindämmen. Reicht doch schon, wenn die ganzen jungen Dinger den armen Tieren das Futter wegnagen. Zeigen Sie Herz und kümmern Sie sich in Zukunft lieber um die vielen kleinen Ferkel. In Rahmsoße. Die sollen doch auch nicht umsonst gestorben sein ...